Révision : Marielle Bedek
Correction : Romy Snauwaert
Infographie : Michel Fleury
Illustrations : © Carpediem Film & TV
Conception graphique : Marie-Josée Forest

ISBN : 978-2-924959-38-1

Dépôt légal – Bibliothèque et Archives nationales
du Québec, 2019
Dépôt légal – Bibliothèque et Archives Canada, 2019

Imprimé au Canada

Luc et les mystérieuses disparitions

Nicholas Aumais

Luc

Luc est brillant et perspicace, il sait comment
établir ses priorités. Il réussit toujours à
surmonter les difficultés. Il est compétitif, aime
la victoire et prend des risques pour y arriver.
Luc a hérité de son père un clairon auquel
il tient particulièrement.

Chapitre 1

Je cours à perdre haleine en zigzaguant à travers les arbres de la forêt. Il fait nuit et de ma bouche s'échappent de petits nuages de fumée blanche à chacune de mes respirations. Je sens mon clairon cogner contre mon dos. Et chaque fois, il y a un *TOC!* assez sonore pour me faire craindre d'être repéré à cause de mon instrument.

Bien que je ne me défasse JAMAIS du clairon que j'ai hérité de mon père, là, je n'ai pas le choix. Il ne faut pas que l'autre me trouve, sinon je suis cuit ! Tant pis ! Je pose mon précieux clairon au pied d'un arbre dégarni de toutes ses feuilles — l'hiver est glacial au village. Je le recouvre de deux branches de mélèze qui jonchaient le sol et je reprends illico ma course.

Je cours me cacher derrière une petite cabane en bois. Je m'accroupis et j'enlace mes jambes avec mes bras. Pourvu qu'il ne me trouve pas !

J'entends des pas dans la neige. Des pas qui approchent...

—Trouvé ! Franchement, Luc, tu aurais pu choisir un autre endroit où te cacher ! Tu sais bien que je regarde TOUJOURS derrière la cabane en premier quand on joue à cache-cache.

Je me relève et regarde mon ami Zac en souriant. Bon, c'est vrai que je ne me suis pas forcé pour trouver une cachette digne d'un membre de la bande des Tuques (on est les rois du jeu de cache-cache). Il faut dire que j'étais occupé à parler avec mon amie Sophie pendant que Zac avait le dos tourné et comptait jusqu'à cent, le visage caché dans ses mitaines. Je n'ai pas eu assez de temps pour me trouver un meilleur endroit.

— Crapaud écrapou, je me suis fait prendre le premier ! Mais pas si vite, Zac ! N'oublie pas qu'il te reste encore Sophie, Jacques et Charlie à trouver !

— Trop facile ! Tu sais bien que je suis le plus rapide et le meilleur pour dénicher vos cachettes.

Au moment où Zac commence à balayer la forêt des yeux afin de voir s'il n'apercevrait pas un bout de tuque dépasser de derrière un arbre, un cri effrayant déchire la nuit. Zac se tourne vers moi.

— Luc ? Est-ce que c'était la voix de...

— Sophie !

Je commence à courir. Zac me suit de près. Quelques secondes plus tard, je vois Charlie et Jacques sortir de leurs cachettes respectives.

— Avez-vous entendu ? demande Charlie, nous rejoignant au pas de course. Charlie est la cousine de Zac. Elle a le même âge que moi. Dès son arrivée au village, Charlie est aussitôt devenue la grande amie et confidente de Sophie.

Jacques, qui a eu le temps de nous rejoindre aussi, tourne la tête vers la gauche, semble reconnaître quelque chose et s'élance dans cette direction. Nous le suivons sans poser de questions. Il s'arrête d'un coup sec et on la voit. Sophie. Étendue la face contre la neige.

Oh non !

Je me jette à genoux à côté d'elle. Jacques en fait autant et on la retourne afin de voir son visage. Ses yeux sont fermés ! Mais la buée sortant de sa bouche me confirme qu'elle respire encore. Ouf !

Zac se penche, ramasse un peu de neige avec sa mitaine et la frotte sur les joues de Sophie.

— Qu'est-ce que tu fais là ? lui demande Charlie en levant un sourcil.

— Attends un peu. Tu vas voir.

Quelques secondes après, Sophie ouvre les yeux et semble retrouver ses esprits. Zac tourne la tête vers Charlie et adopte un air de vainqueur.

— Tu vois bien ! Elle s'était juste évanouie.

Charlie ignore la remarque de son cousin et se penche pour prendre son amie dans ses bras.

— Oh, Sophie! Mais qu'est-ce qui s'est passé? À t'entendre crier, on aurait cru qu'un tueur fou armé d'une hache tentait de te découper en mille morceaux!

— J'en sais vraiment rien! Lorsque je me suis cachée derrière l'arbre juste là, je me suis retournée une seconde et j'ai vu un zombie aux mains énormes courir juste sous mes yeux!

Sophie se relève doucement.

— Je pense avoir eu plus peur que je ne l'aurais cru en apercevant un mort-vivant.

Je regarde à tour de rôle les autres membres des Tuques présents. Comme moi, ils ont des points d'interrogation à la place des yeux. Je m'avance pour mettre un bras autour des épaules de mon amie.

— Euh, Sophie ? Tu sais que les zombies n'existent pas, n'est-ce pas ?

Sophie finit de se relever et me regarde droit dans les yeux. Est-ce que ce sont des couteaux qui lui sortent des orbites ? Ou des éclairs de furie ?

— Heille ! Ça va pas, Luc ? Et pourquoi est-ce que je serais tombée dans les pommes, alors ? Tu penses que j'ai imaginé un zombie à la place de Bambi qui se promenait dans la forêt en pleine nuit ?

Crapaud écrapou ! Je pense avoir vraiment vexé mon amie en mettant sa parole en doute devant les autres. Il faut dire que Sophie a un caractère parfois, disons... bien trempé. Tout comme sa petite sœur Lucie, d'ailleurs, si jamais tu la connais*!

J'essaie une autre formule :

— Mais non, Sophie! Je te crois, c'est sûr. C'est juste que... comme on vient de terminer en classe la lecture d'une série complète de bandes dessinées à propos de zombies extraterrestres dans le Groenland, peut-être as-tu simplement...

Sophie s'approche encore plus de moi. Euh... pourquoi est-ce que les autres reculent de deux pas?

— Vas-y, Luc, finis un peu ta phrase pour voir.

Jacques s'interpose entre nous.

— Sophie, n'oublie pas non plus que la semaine dernière, on est tous allés

---

* Pour en apprendre davantage sur Lucie, tu peux lire *Lucie et la légende des lingots d'or.*

au cinéma voir *Zombies sans tête, mais qui pensent — Volume 9.*

Sophie se gratte la tête. Charlie s'avance et pose une main amicale sur son épaule.

— Et le concert du groupe Zombies Terreur lors de la dernière fête d'Halloween, ajoute-t-elle. Tu te souviens ? Tous les membres du groupe étaient déguisés en morts-vivants.

— Bon, vous avez PEUT-ÊTRE raison.

Elle se tourne vers moi.

— Je m'excuse, Luc, reprend-elle. Je crois que j'étais simplement trop morte de peur pour bien analyser la situation.

Je lui souris. Entre compagnons de la bande des Tuques, on ne reste JAMAIS fâchés les uns contre les autres. On s'aime trop pour ça !

Zac se place au centre de notre petit groupe et nous regarde d'un air ahuri. Mais qu'est-ce qu'il lui prend ? Il nous regarde les uns après les autres, la bouche ouverte, comme s'il voulait avaler une mouche. Il tape son index sur sa tempe droite.

— Mais ça ne va pas là-dedans ou quoi ?

— Ben quoi ? demande Sophie. Je viens de dire que ça ne peut pas être un zombie qui s'est approché de moi.

— Justement ! lance-t-il en guise de réponse.

Je regarde Zac en haussant les épaules. Charlie, Sophie et Jacques en font autant.

— Écoutez bien, poursuit Zac. Parfait, Sophie ne s'est pas évanouie parce qu'un zombie est passé trop près de l'agripper ou je ne sais quoi de pire encore. Mais alors, c'était qui ? Ou quoi ?

Mais il a raison ! Un frisson me parcourt la colonne vertébrale.

—Les amis, rentrons pour ce soir.

—Tu as raison, Luc, dit Jacques. La partie de cache-cache est terminée pour aujourd'hui.

—Attendez-moi un instant! Je vais chercher mon clairon et on file.

Je cours aussi vite que mes jambes le peuvent en direction du vieil arbre pour récupérer mon instrument.

OH NON!

Je retourne vers mes amis, laissant mes pieds traîner dans la neige, cette fois. Jacques remarque mon air défait le premier.

—Luc! me crie-t-il. Qu'est-ce qu'il y a?

J'arrive enfin devant eux.

—Mon clairon.

—Il est où, ton clairon? me demande Charlie, craignant d'avance ma réponse.

—Il a disparu.

Chapitre 2

Mes amis me suivent à l'endroit où j'avais laissé le clairon de mon père. Les branches de mélèze gisent un peu plus loin, comme si quelqu'un les y avait jetées. Mais il n'y a pas que les branches déplacées qui créent l'illusion d'une scène de crime.

— Regardez ! Ces traces dans la neige, ça ne peut pas être les miennes ! Elles n'y étaient pas quand j'ai déposé mon clairon au pied de cet arbre.

J'enfonce ma botte dans la neige juste à la droite de l'empreinte trouvée. La trace de botte inconnue est presque de la même taille que la mienne, seulement un peu plus grande. Zac ramasse une branche de bouleau bien droite. Il s'avance et la pose entre mon empreinte et l'autre, l'anonyme, s'assurant qu'un bout est bien à l'extrémité du talon de l'empreinte. Zac sort alors un crayon-feutre noir de la poche de son manteau et trace une ligne sur la branche, là où arrive la pointe de la botte inconnue. Il range ensuite la branche de bouleau dans son sac à dos.

— Comme ça, on aura un indice : la taille de la botte du malfaiteur.

Il est brillant, Zac ! Sa cousine le félicite en levant son pouce en l'air et Jacques le regarde, bouche bée. Il lui demande, les yeux en forme de points d'interrogation :

—Waouh! Mais où as-tu appris un truc pareil?

—Oh, je viens d'y réfléchir comme ça, répond Zac, en nous lançant un clin d'œil.

Jacques est parfois un peu naïf, mais pas du tout idiot.

—Mouais... je te crois à moitié, Zac! Luc, tu veux faire quoi maintenant?

Je n'en ai aucune idée. Mon regard doit trahir mes pensées sombres puisque mes amis s'approchent tous de moi en même temps pour m'enlacer. Un *group hug*, comme on dit par chez nous! Et ces câlins collectifs, ils font du bien.

Je me recule un peu et je regarde à nouveau l'endroit où était mon clairon. Disparu. Je n'arrive pas à y croire.

— Les amis, je pense que le mieux, à cette heure, est de rentrer chacun chez soi. Mais si vous voulez me rejoindre à la grange demain pour élucider ce mystère, je pense que je pourrais avoir besoin de votre aide.

Sophie est la première à me taper amicalement dans le dos.

— Bien entendu qu'on va y être, Luc ! On va le retrouver, le coupable qui a pris le clairon de ton père.

— Ouais ! lance Jacques. Et quand on va mettre la main sur lui, je vais l'attacher à un arbre dans la forêt, lui étaler plein de miel sur le visage et attendre qu'un ours passe par là pour lui bouffer le nez !

Malgré les émotions, je ris de bon cœur. Jacques a le don pour imaginer des scénarios de films d'horreur, mais toujours avec plus d'humour que d'hémoglobine, si tu vois ce que je veux dire !

On se salue et chacun prend la direction de sa maison. Sophie marche avec moi puisque nos maisons se situent dans la même rue. À vrai dire, au village, tout le monde habite pas mal près de tout le monde. C'est pour ça qu'il est difficile d'avoir un secret au village, et encore plus de le garder pour soi : TOUT le monde se connaît.

En marchant, Sophie me dit :

— Je sais qu'il te manque beaucoup ton papa et que tu es triste d'avoir égaré son clairon.

— Je pense à lui tous les jours depuis qu'il est mort. Tu sais, il a longtemps été dans les Forces armées canadiennes. Il jouait de différents instruments à cuivre et faisait partie de la fanfare de son unité. Certains soirs, avec d'autres militaires musiciens, il organisait des concours de solos de cornet.

Sophie arrête de marcher.

—Des solos de quoi?

Je ne peux m'empêcher de sourire à mon amie.

—Ils appelaient «cornet» les instruments comme la trompette ou encore le clairon. Je pense même qu'un instrument en particulier se nomme le cornet à pistons! Le clairon de mon père a beaucoup voyagé avec lui pendant sa carrière militaire. Je pense que j'étais le plus grand admirateur de ses histoires à propos de musique et de son temps dans l'armée.

On reprend notre marche, mais Sophie semble encore avoir quelque chose sur la conscience. Elle dit tout bas:

—Tu sais, Luc, je suis désolée si le zombie-pas-zombie que j'ai hallucinépeut-être-pas-halluciné est responsable de la disparition de ton clairon.

— Mais voyons, Sophie, ce n'est pas de ta faute si tu t'es évanouie ! Tu as sûrement eu très peur, peu importe ce qui t'a effrayée ! Et je suis convaincu qu'avec ton aide et celle des autres, on saura résoudre le mystère très vite.

Quand nous arrivons devant sa maison, Sophie me dit au revoir. Ce n'est que quand je rentre dans ma propre maison qu'une pensée me traverse l'esprit : si tout le monde se connaît au village, cela signifie que si c'est un enfant qui a fait le coup, c'est sans aucun doute quelqu'un que je connais !

Le lendemain matin, dès que les premiers rayons du soleil traversent les rideaux des fenêtres de ma chambre, mes yeux s'ouvrent d'un seul coup. Je saute hors du lit et m'habille à la vitesse de l'éclair. Arrivé à la cuisine, je me verse deux énormes portions de gruau à l'érable, que j'avale comme un serpent, ou presque ! Aussitôt que j'ai lavé et rangé mon bol, je m'empresse d'enfiler mon manteau et mes bottes. Juste avant de quitter la maison, je remarque un crochet vide au mur. Celui sur lequel je laissais pendre mon clairon...

Le matin, j'ai l'habitude de jouer trois notes pour saluer le nouveau jour sur le balcon, à l'extérieur. Toujours les trois mêmes notes... les seules que mon père m'a apprises. Je réprime un sanglot et je me dirige d'un pas ferme vers la vieille grange. Cette grange, c'est le repaire de la bande des Tuques depuis toujours. Personne, sauf nous, n'y va. On s'y retrouve pour jouer à des jeux de société, s'amuser dans le foin toujours un peu humide (autre endroit idéal pour nos parties mémorables de cache-cache) ou pour résoudre des mystères hyper importants, comme aujourd'hui! Et bien que cet endroit soit connu comme la grange des Tuques, la première règle est que la grange est pour tous les jeunes du village, sans discrimination. Aussi, dès qu'un nouveau arrive au village, on l'invite. Même les animaux sont admis!

Crapaud écrapou! À une centaine de mètres de la grange, je remarque deux paires de traces dans la neige. Les pas se dirigent tout droit vers la grange. J'observe un peu plus les traces et je comprends. Ces traces de pas familières ne peuvent vouloir dire qu'une chose... Je cours jusqu'à la porte, je l'ouvre et...

— Salut, Luc! m'accueillent deux voix que je reconnais bien.

Je le savais! Charlie et Zac sont là. Comme ils habitent la même maison, on voit souvent le cousin et la cousine arriver ensemble. Ils ont les joues rouges comme s'ils étaient restés à l'extérieur toute la nuit! Charlie remarque que je les dévisage et elle éclate de rire.

— Pour ton information, on n'a pas dormi accrochés sur la corde à linge la nuit dernière! On est plutôt retournés dans la forêt dès que le soleil s'est pointé le bout du nez afin de voir si on ne trouverait pas ton clairon à la lumière du jour.

Son sourire disparaît. C'est Zac qui termine l'explication de sa cousine :

— Mais il n'y avait rien, Luc. Rien du tout.

Je me force à leur rendre un sourire timide, mais qui se veut encourageant.

— Merci, tellement, les amis. Vous êtes les meilleurs.

— Non ! Le meilleur, c'est moi !

Hein ? Qui a dit ça ?

Je tourne la tête vers la porte de la grange. Jacques entre en tirant une GIGA EXTRA grande luge sur laquelle sont posés plusieurs sacs en papier débordant d'aliments de toutes sortes et pour tous les goûts, on dirait ! Je reconnais sa luge. C'est celle qu'il a reçue à Noël. Je pense que depuis ce temps, il la sort tous les jours pour glisser dessus ! Jacques poursuit :

— Vous avez vu tout ça ? Je me suis dit qu'avec ces quelques provisions, on pourra tenir un bout ! Je pense avoir vidé le tiers des tablettes de l'épicerie au coin de chez moi. Et ce n'est pas tout ! Sophie s'en vient avec des sacs de couchage et des oreillers sur une autre luge.

Jacques laisse tomber la corde de sa luge et se poste directement devant moi. Il pose ses deux mains sur mes épaules et me regarde très sérieusement.

— Luc, tu es un de mes meilleurs amis. Parole de membre de la bande des Tuques, je vais tout faire pour t'aider à retrouver le clairon de ton père, même si la mission est longue et que je suis OBLIGÉ de manquer quelques jours d'école.

— Nous aussi ! s'exclament en chœur Zac et Charlie.

— Et moi ! Ne m'oubliez pas ! s'écrie Sophie en entrant à son tour, tirant effectivement une luge avec tout ce qu'il faut dessus pour passer une nuit dans la grange. Jacques a déjà les deux mains plongées dans les sacs de provisions.

Je parie qu'il est à la recherche d'un biscuit double chocolat — ce sont ses favoris depuis qu'il a cessé de porter des couches! Je le sais puisqu'on se connaissait déjà à cette époque.

Discrètement, je regarde mes amis tour à tour. J'ai beaucoup de peine de ne pas avoir le clairon de mon père tout près de moi, mais je suis très heureux et fier d'avoir des amis aussi solidaires et attentionnés que les miens!

J'aide Sophie à décharger le contenu de sa luge. On balance les sacs de couchage et les oreillers sur un tas de foin dans un coin de la grange. On ne va quand même pas déjà penser à se coucher! J'ai plutôt une autre idée. Je tourne la tête en cherchant Zac du regard.

—Zac! Pourrais-tu me montrer à nouveau la branche que tu as utilisée hier pour mesurer l'empreinte dans la neige ?

Mon ami me tend la branche de bouleau. Je regarde la marque laissée par le crayon de Zac la veille. Cette botte ne fait pas plus d'une vingtaine de centimètres de longueur. La botte d'un enfant de notre âge, c'est certain. Ou celle d'un petit gobelin des forêts ? Évidemment, je suis persuadé que c'est ma première hypothèse qui est la bonne. Je pense à voix haute sans m'en rendre compte :

— Si c'est un enfant, on le connaît forcément !

— Luc, commence Charlie. Tous les jeunes du village, qu'ils soient membres de la bande des Tuques ou non, savent ce que représente ce clairon pour toi. Je doute fortement qu'on te l'ait volé. Et pour en faire quoi ?

— Peut-être qu'un enfant apprenti musicien d'un AUTRE village a entendu parler du fameux clairon de Luc et qu'il s'est faufilé jusqu'ici.

Je regarde Zac, ne sachant pas trop quoi répondre.

— Euh... je ne suis pas certain, Zac.

— Mais oui, renchérit-il. Un jeune complètement timbré qui a une passion tordue pour les instruments à vent. Avec un appareil d'espionnage ultra sophistiqué, il a réussi à savoir où EXACTEMENT tu serais ce soir-là dans la forêt. Il a sûrement rampé comme un serpent sur des kilomètres pour ne pas se faire remarquer et ensuite...

Zac s'interrompt. Il semble réfléchir. Tout à coup, ses joues redeviennent aussi rouges que lorsque je suis entré dans la grange. Serait-il un peu embarrassé ? Jacques décide de lui venir en aide en brisant un silence légèrement inconfortable qui tentait de s'installer après l'intervention du cousin de Charlie.

—Bon, assez joué les Sherlock Holmes pour l'instant! L'intelligence vient en mangeant, alors mangeons!

—L'expression n'est pas plutôt « L'APPÉTIT vient en mangeant »? lui demande Sophie, en vidant les sacs de leur contenu.

—Ben oui, ça aussi! réplique Jacques. Il s'empresse de rejoindre Sophie et quelques secondes après, un véritable festin se dresse devant nous. Le tout est placé sur une vieille et grosse courte-pointe installée au sol. On s'assoit en cercle, et le repas commence! Chacun fabrique son propre repas. Alors que Charlie se régale d'un sandwich roulé avec houmous, concombre et radis,

Jacques dévore un sandwich fabriqué avec deux moitiés de tablette de chocolat entre lesquelles se trouvent une guimauve géante, trois bleuets... et du fromage à la crème à tartiner. OUACHE! Mais un bon point au moins pour le trio de bleuets comme source de vitamines!

Après avoir avalé le maximum que nos ventres peuvent contenir sans exploser, je recommence à penser à l'instrument de musique de mon père. Une vague d'émotions monte en même temps dans ma poitrine. Je soupire.

— Les amis, je ne sais vraiment pas comment on va faire pour retrouver mon clairon.

— J'y pense! s'exclame Jacques. Et si le voleur avait décidé de vendre le clairon pour de l'argent afin de s'acheter des jouets ou une MÉGA EXTRA luge comme la mienne? Après tout, c'est quasiment une antiquité, ton clairon, et peut-être vaut-il plus cher que tu ne le crois, Luc.

Crapaud écrapou! Je le sais! En effet, ce clairon vaut plus cher à mes yeux que n'importe quoi d'autre, encore plus que n'importe quel montant d'argent!

Sophie semble se rendre compte de mon état de tristesse (pour dire vrai, je me sens complètement effondré en ce moment). Elle toussote et se lève.

—Bon, assez parlé! Et assez mangé surtout. Tout le monde debout! En route pour le magasin de musique et ensuite, la boutique d'antiquités du village. Il faut bien commencer l'enquête quelque part!

Elle a une détermination de feu, mon amie! C'est aussi pour ça que je l'aime bien.

Alors que je sors de la grange, une idée me vient à l'esprit. Une idée des plus efficaces, en plus ! Je me retourne vers les autres membres des Tuques.

—Voici ce que je propose : Charlie, Jacques et Zac, vous formez une équipe. Allez visiter l'une des boutiques, et Sophie et moi irons inspecter l'autre.

Charlie, Zac et Jacques se regardent tour à tour. En même temps, les joues de Sophie deviennent rouges comme des écrevisses bouillies... On dirait vraiment que son visage s'enflamme ! Ben quoi ? J'ai dit quelque chose qu'il ne fallait pas ?

Alors que les trois amis zinzins éclatent de rire devant moi et que Sophie renfonce un peu plus sa tuque blanche sur sa tête, Charlie se place entre Jacques et son cousin pour les éloigner en les tenant chacun par le bras.

— C'est bon, dit-elle. Nous, on va chez l'antiquaire. Luc, j'espère pour toi qu'il y aura de la belle musique romantique dans les haut-parleurs du magasin de musique. Bye, les amoureux !

— N'importe quoi ! lui envoie Sophie.

Ils s'éloignent en éclatant de rire.

Sophie me devance d'un pas vif, mais j'ai quand même le temps de remarquer qu'elle a un sourire en coin. Sophie et moi ne sommes pas amoureux. On s'aime bien, c'est pas pareil... non ?

Pour l'instant, j'ai intérêt à me dépêcher si je veux la rejoindre ! Elle est déjà à quelques pas de la rue qui mène droit au magasin de musique et à mon clairon, j'espère.

Chapitre 3

Zut, zut et re-zut! Les recherches au magasin de musique n'ont abouti à RIEN! Personne n'a vu mon clairon, personne n'a tenté d'en vendre un non plus.

Découragé et frustré au MAXIMUM, je pense avoir donné au moins une centaine de coups de pied dans des tas de neige pour me calmer, en retournant vers la grange. Cette fois, Sophie fait bien attention de se tenir quelques pas derrière moi. Comme si elle voulait me laisser de l'espace pour exprimer ma colère, mais en même temps garder un œil bienveillant sur moi.

Mon état d'esprit ne s'est pas tellement amélioré quand on a mis les pieds dans la grange. Un simple coup d'œil vers les visages de mes amis et je sais illico que leurs recherches n'ont rien donné non plus.

C'en est trop pour moi.

— Merde ! L'enquête n'avance pas d'une miette ! On ne le retrouvera jamais, mon clairon. Merci pour tout, les amis, mais vous pouvez rentrer chez vous. On n'a plus rien à faire ici.

Il ne faut pas deux secondes pour que Jacques monte sur une botte de foin devant moi, question que ses yeux arrivent bien à la hauteur des miens. Je ne sais pas trop ce qu'il se passe avec son nez, mais ses narines ne cessent de s'ouvrir et de se fermer !

— Écoute-moi bien, mon beau Luc, commence-t-il, un peu sur le ton que prendrait un parent pour faire la morale à son enfant. Ben oui, quelqu'un a volé ton clairon. Mais tu oublies quelque chose, mon vieux : si tu te décourages maintenant, alors là, tu n'auras AUCUNE chance de le retrouver, ton clairon. Et puis veux-tu bien me dire depuis quand un membre de la bande des Tuques se déclare vaincu devant une mission difficile ?

Il a raison, Jacques. Allez ! Il ne faut pas se laisser abattre. Je me ressaisis et suggère aux autres de sortir avec la luge de Jacques pour nous amuser sur la colline tout près de la grange. À tous les coups, jouer dehors me remonte le moral !

À ce temps-ci de l'année, le soleil se couche assez tôt. Alors que la lueur du jour commence à se faire rare, Zac se frotte le ventre.

— Je commence à avoir faim. Et si on rentrait terminer le festin improvisé ?

— Bonne idée ! lui répond Jacques.

Pas étonnant. Jacques, il a toujours faim, il pourrait manger toute la journée.

Après avoir placé la luge de mon ami contre un mur de la grange, je vais rejoindre les autres au centre, sur la vieille courtepointe.

Ce doit être le mélange des émotions et les descentes en luge au grand air : je suis affamé. Et à regarder les autres, je ne suis pas le seul ! Je mets des abricots et des raisins secs dans un pot de yogourt et mélange le tout avec ma cuillère. C'est délicieux ! À côté de moi, Zac glisse une tranche de fromage entre deux minces tranches d'une poire et tend la collation à sa cousine Charlie. Elle le remercie, mais se rend compte aussitôt qu'il a les yeux braqués sur ses noix de cajou. Elle lui sourit et lui offre une poignée de noix salées. Sophie, elle, regarde Jacques avec des yeux ronds comme des trente sous. Je dirige instinctivement mon regard vers mon ami.

— Euh... Jacques ?

— Quoi ? me demande-t-il en guise de réponse.

— Comment, quoi ? demande Sophie, alarmée. Qu'est-ce que tu manges ?

Jacques baisse les yeux sur son plat, dans lequel se trouve un mélange suspect. TRÈS suspect ! Zac et Charlie se tournent aussitôt vers la préparation culinaire de notre ami gourmand. Jacques brasse le mélange en souriant. Il lève sa cuillère et juste avant d'enfourner le tout dans sa bouche, il nous informe :

—Mon invention : algues séchées mélangées avec du coulis de fraises et des cœurs d'artichauts marinés dans le vinaigre.

À l'unisson, nous crions :

—BEURK !

Loin de s'en faire avec notre réaction, Jacques mange tout jusqu'à la dernière miette, ou goutte... Enfin, il mange tout son truc. En fait, on mange tout ce qu'il restait de nourriture. Les Tuques ne gaspillent jamais ! Bon, je dois admettre qu'on est aussi un peu gourmands. Alors que je termine ma collation, un frisson me parcourt le dos. J'ai comme l'impression que quelqu'un nous observe, immobile à l'extérieur de la grange, l'œil rivé entre deux planches de bois de la porte. Charlie remarque que mon air a changé en une fraction de seconde.

— Luc, qu'est-ce qui ne va pas ?

— Je ne sais pas trop. J'ai comme l'impression qu'on nous espionne. De là !

Je désigne la porte. Charlie regarde Sophie. Sophie regarde Charlie. En même temps, les deux filles hochent la tête et se lèvent. Elles se dirigent vers la porte de la grange ! En chemin, Sophie attrape un bâton de hockey qui traînait par terre et Charlie agrippe un ski de fond. Je m'inquiète un peu.

— Crapaud écrapou ! Mais qu'est-ce que vous pensez faire là, les filles ?

Sophie se retourne vers moi, mais sans arrêter de marcher vers la porte de la grange.

— Si quelqu'un se cache de nous, c'est qu'il a une raison de ne pas vouloir que l'on découvre son identité. Et moi, je veux savoir !

— Moi aussi ! répond Charlie. Et ne t'en fais pas, Luc. Sophie et moi, on a regardé une centaine de fois le film *Charlie et ses drôles de dames*. Si une menace se tient derrière cette porte, on va s'en occuper !

Eh misère ! Comme si ce n'était pas suffisant, Jacques bondit et se retrouve aussitôt sur ses deux bottes. Il va rejoindre les filles, une lampe de poche à la main. En les dépassant, juste avant d'ouvrir les grandes portes en bois de la grange, il lance d'une voix menaçante :

— T'entends ça, l'imbécile ? S'il y a quelqu'un qui nous espionne derrière cette porte, je vais tremper ses petites culottes dans le lac avant de les laisser geler et ensuite le forcer à les porter pour rentrer chez lui !

Ah, ce cher Jacques ! Et voilà les trois intrépides sortis.

C'est à ce moment que je remarque Zac. Contrairement aux trois autres, il ne bouge pas. Même qu'il semble plus petit que la normale, la tête renfoncée dans les épaules. Je pense qu'il a peur qu'il y ait vraiment un intrus à l'extérieur de la grange. Pourtant, Zac est un des plus intelligents des Tuques : il n'est pas du genre à se précipiter au cinéma pour voir le dernier film d'horreur, contrairement à sa cousine. Disons qu'il préfère écouter un documentaire sur la formation des trous noirs dans l'espace plutôt que *Massacre en classe de neige — Volume 84.*

Alors que je me rapproche de mon ami pour le rassurer, on entend un énorme *BOUM !* suivi d'un cri sourd... et de rires ?! Zac me regarde et je hausse les épaules en me levant. Je lui lance un regard à la fois interrogateur et encourageant jusqu'à ce qu'il prenne la main que je lui tends pour l'aider à se lever. Lentement, on se dirige vers la porte de la grange.

En sortant nos têtes, on voit Sophie et Jacques, mais Charlie n'est plus là ! Je constate cependant la présence d'un bonhomme de neige qui n'était pas là il y a quelques heures. Un bonhomme de neige sans carotte à la place du nez ni chapeau. Mais, mais ?? Le bonhomme de neige bouge ! Il se secoue et je vois les vêtements de Charlie apparaître et enfin, sa tête. Sophie et Jacques sont morts de rire. En voyant sa cousine, Zac ne peut s'empêcher d'éclater de rire. C'est quand même bien mieux que d'avoir peur.

— Un éno... énorme tas de nei... de neige est tombé du toit, pouahaha ! essaie d'expliquer Sophie, trop occupée à rire pour bien articuler ses mots.

— Ben oui, et c'est moi qui l'ai reçu en plein sur la tête ! rétorque Charlie. Mais elle-même ne peut s'empêcher de rire un bon coup.

On entre dans la grange pour se réchauffer et surtout commencer à installer le campement pour la nuit. Tout le monde prend un sac de couchage et on les place en cercle en laissant une lampe à gaz allumée au centre.

Bien qu'il n'y ait rien de mieux que de se retrouver entre Tuques pour parler à voix basse jusque tard dans la nuit, Sophie, Zac, Charlie et Jacques s'endorment quelques instants après avoir posé leur tête sur l'oreiller. Ils n'ont même pas retiré leur tuque de leur tête ! Quelques secondes plus tard, je me laisse aussi emporter par un sommeil profond.

Au beau milieu de la nuit, un son me réveille. Un son étrange, qui n'a

pas sa place ici, mais qui me semble
familier, pourtant. On dirait des notes
de musique. Des notes provenant d'un
clairon !

Chapitre 4

Je me redresse en position assise en moins d'une fraction de seconde ! J'écoute attentivement. Crapaud écrapou, encore les notes ! Le son est faible, mais je suis certain d'entendre un clairon ou une trompette. C'est pourtant impossible ! Ce doit être ma tête qui me joue des tours à cause du vol du clairon de mon père.

Tout à coup, une rafale de vent réussit à entrouvrir la porte de la grange et

j'entends encore une fois le son familier d'un instrument à vent. C'est exactement à ce moment qu'une certaine
panique s'empare de moi. Je n'ai jamais
été du genre à croire aux fantômes,
mais rien dans ce décor ne me semble
rassurant présentement.

Je tourne la tête vers la droite et
aperçois juste à côté de moi le bas du
sac de couchage de Jacques. Je le secoue
à l'endroit où doivent se trouver ses
bottes.

— Pssst! Jacques, dors-tu?

— Hmmm.

— Jacques, j'ai entendu des notes de
musique dans la grange.

Toujours à moitié endormi, mon ami
me répond:

— Hmmm, de quoi parles-tu? Tu as
sûrement rêvé de ton clairon. Ou de
Miles Davis, peut-être.

Même somnolent, Jacques réussit à avoir de la répartie. Ce n'est peut-être pas le moment de faire des blagues, mais mon sentiment de panique diminue un peu.

— Jacques, je suis sérieux. Écoute un peu, tu vas bien les entendre, toi aussi, les notes. On dirait qu'un fantôme est en train de jouer du...

Jacques relève la tête.

— Luc, tu peux bien dire à Casper ou je ne sais qui d'autre d'aller se recoucher ! J'étais en train de rêver que je nageais dans une ÉNORME piscine de chocolat, la bouche grande ouverte !

— Vous n'avez pas fini un peu, tous les deux ? Certaines personnes essaient de dormir, vous savez.

Oups, on a réveillé Sophie. Comme avec Jacques, son ton me fait comprendre qu'elle n'apprécie pas particulièrement de se faire réveiller en pleine nuit. J'imagine sa tête quand je lui expliquerai ma théorie d'un fantôme musicien !

—Pardon, Sophie, lui répond Jacques. C'est juste que Luc pense avoir entendu...

Les notes ! Cette fois, nous sommes trois à les avoir entendues ! Jacques prend peur et se couche en remontant aussitôt son sac de couchage par-dessus sa tête. Sophie me regarde, hébétée.

—Vous voyez bien, ou plutôt, vous entendez bien que j'avais raison !

—Luc ! me lance Sophie. C'est bizarre, très bizarre, mais ne me dis pas que tu crois aux fantômes, maintenant !

—Alors, va donc voir ce qui fait ce bruit si tu es si brave !

—Parfait ! me réplique-t-elle.

Hein ? ! Sophie se lève aussitôt et se dirige vers la porte de la grange. J'ai peur, mais je me dépêche de rejoindre ma bonne amie. À intervalles réguliers, la porte de la grange s'ouvre de quelques millimètres à cause des forts vents à l'extérieur. Chaque fois que la porte s'ouvre, un coup de vent pénètre dans la gange et c'est à ce moment que l'on entend faiblement le son d'un instrument dans lequel on souffle.

— Luc, regarde !

Sophie désigne le sol juste devant un coin de la porte.

— Mon clairon !

J'ai dû parler plus fort que je le pensais, car j'entends des paires de bottes s'approcher derrière nous. Même Jacques est sorti de sa cachette, ne craignant plus d'être massacré par un fantôme musicien.

— Comment peut-il bien être arrivé ici ? demande Charlie.

—Aucune idée ! Mais l'important est que j'aie remis la main sur mon clairon !

Je l'inspecte sous tous les angles et il me suffit de deux secondes pour voir qu'il s'agit bien de l'instrument donné par mon père. Je suis tellement heureux !

—Euh, Jacques ? demande Charlie.

Il se tourne vers elle dans la pénombre.

—Oui ?

—Regarde contre le mur. Ta luge n'est plus là !

Jacques court vers son sac de couchage et revient avec une lampe de poche. Il éclaire tous les murs et coins de la grange. Nous suivons des yeux le rayon lumineux. Rien. Aucun signe de la luge de notre ami. Lui qui l'aimait tellement !

—Comment est-ce possible ? demande Sophie, perplexe.

Jacques est furieux. Zac sort la tête de la grange et s'exclame :

—Regardez ! Il y a des traces de luge à l'extérieur. Si le vent ne les a pas encore effacées, c'est qu'elles sont récentes !

—Tout le monde met son manteau, on sort.

Personne n'ose contredire l'ordre de Jacques. Une fois à l'extérieur, je remarque en effet les traces d'une luge qu'on a traînée sur la neige. Ainsi que des traces de bottes ! Je regarde Zac, qui comprend aussitôt à quoi je pense. Il s'avance, sort la branche de bouleau de la poche de son manteau et mesure l'empreinte laissée par le coupable. Zac tourne la tête vers moi.

—Exactement la même taille que l'empreinte de botte retrouvée dans la forêt.

Jacques est maintenant mauve de colère. J'ai l'impression qu'il va exploser comme un bâton de dynamite. La tête bien enfoncée dans son manteau, il avance en suivant le sillon laissé par la luge, sa luge, dans la neige. Après dix minutes de marche, on arrive à la dernière rue du village.

— Regarde au loin, Jacques, commence Charlie. Les traces se poursuivent sur la route qui mène à la grande ville. Je ne pense pas que l'on devrait faire ce chemin à pied en pleine nuit... Je suis désolée.

Elle pose une main sur l'épaule de Jacques. Celui-ci se dégage et se tourne vers nous, le visage tordu de frustration.

— Mais je m'en fous, de la grande ville. Elle pue, la ville ! Tout ce qui compte, c'est que je retrouve ma luge.

Je prends Jacques par les épaules. Il ne se dégage pas, cette fois. Sa respiration me fait craindre qu'il fasse une crise d'hyperventilation ou quelque chose du genre !

— Jacques, calme-toi. Je comprends très bien ce que tu ressens. Mais si le plan était de se réveiller au matin pour percer le mystère de mon clairon disparu, je ne vois pas pourquoi on ne pourrait pas remplacer l'objet de l'enquête par ta luge. Allez, dès le lever du soleil, on va faire la lumière sur ce qui est arrivé à ta luge, promis !

Jacques hoche la tête en signe d'acquiescement. Sa respiration redevient plus régulière et on le suit vers la grange.

Une fois à l'intérieur, sans un mot, tous les membres des Tuques regagnent leur sac de couchage. J'emporte mon clairon dans le mien et m'endors avec l'instrument collé contre ma poitrine.

Heureusement que le soleil se lève un peu plus tard l'hiver, ça nous a permis de dormir quelques heures avant que les premiers rayons ne filtrent à travers certaines planches de bois de la grange.

En m'extirpant de mon sac de couchage, je décide de faire retentir les trois notes matinales habituelles avec mon clairon. En soufflant à l'intérieur, je remarque que le son qui en sort semble étouffé, comme hier soir, quand le vent se faufilait dans l'embouchure de l'instrument. J'entre mes doigts à l'intérieur du pavillon et en ressors un bout de papier roulé.

— Regardez ça ! je m'exclame.

Les autres s'approchent de moi. Je déroule le papier. Il y a une phrase écrite dessus. Une seule : Merci pour la musique. Je ne comprends rien. Je retourne le papier afin que les autres puissent le lire.

— Eh ben ! dit Charlie.

— Mais qu'est-ce que ça peut bien signifier ? demande Jacques.

— Pourquoi est-ce qu'un voleur remettrait l'objet de son crime à la victime, et en plus avec un mot de remerciement ? demande Sophie.

De son côté, Zac tourne en rond. Je pense que c'est pour s'aider à mieux réfléchir. Il s'arrête soudain, pose un genou au sol et se relève, un vieux gant à la main.

— Regardez ce que je viens de trouver au bas du mur où Jacques avait posé sa luge.

C'est un vieux gant troué et taché. Je ne l'ai jamais vu avant et de toute évidence, je ne suis pas le seul. Sophie s'approche de Zac et lui prend le gant des mains.

— J'ai déjà vu ce gant quelque part.

Je lui demande :

— C'est un de tes vieux gants, Sophie ?

— Non, mais je le reconnais. Je suis convaincue à 100 % qu'il s'agit d'un des gants que portait le zombie-pas-zombie dans la forêt l'autre soir !

— Et si le gant de celui qu'on soupçonne d'avoir volé mon clairon se retrouve EXACTEMENT à l'endroit où était la luge de Jacques, je pense qu'on a affaire à la même personne. OK, tout le monde, que diriez-vous qu'on se remplisse le ventre et ensuite, qu'on fasse une promenade vers la grande ville ? Je commence à en avoir marre qu'on nous vole et qu'on se paie nos têtes en plus !

— Luc, c'est toi qui mènes ! me dit Jacques. Mais dès qu'on retrouve le voleur, il est à MOI !

Chapitre 5

Après avoir arpenté pendant au moins trois heures les rues et les deux grands parcs de la grande ville sans trouver la moindre trace de la luge de Jacques, nous décidons de rentrer au village, l'esprit bien triste.

Jacques ne fait que regarder ses bottes en marchant. Je pense qu'il a le goût de pleurer mais qu'il se retient. Cette luge, c'était sa FIERTÉ depuis qu'il l'avait reçue en cadeau.

On arrive enfin à l'intersection du village, celle qui permet de se rendre au seul parc municipal. Cet endroit est connu de tous les membres des Tuques. Il y a une montagne parfaite sur laquelle on s'amuse à faire des courses sur des luges et des tapis à neige. L'hiver, on s'y retrouve plusieurs fois par semaine!

En passant à côté du parc, je lève les yeux vers notre fameuse montagne, me retenant surtout de proposer une course dans la neige aujourd'hui! Mes yeux s'arrêtent sur le sommet de la montagne. Bien qu'aucun enfant ne s'amuse à glisser en ce moment, une luge trône au sommet de la montagne. Une ÉNORME luge. Et je sais à qui elle appartient.

— Dis donc, Jacques?

— Oui, Luc?

Mon ami me regarde, le visage à moitié enfoui sous sa tuque rouge. Jacques est toujours habillé de rouge, de pied en cap. Il me fait penser à notre ami Maranda avec son obsession pour la couleur verte. Je pointe du doigt le haut de la montagne. Le regard de Jacques suit le bout de mon doigt... et il la voit!

— Ma luge!

Un regard vers le sommet suffit aux autres pour qu'ils comprennent ce qui se passe. Jacques se met à courir comme je ne l'ai jamais vu courir auparavant! Comme si, dans quelques secondes, sa luge allait disparaître s'il ne mettait pas rapidement la main dessus. Évidemment, on s'élance tous à sa suite vers le sommet de la montagne.

Jacques arrive le premier, et nous le voyons se pencher pour EMBRASSER sa luge et lui dire :

— Ma belle, tu m'as tellement manqué !

Je pense que sur une autre montagne, notre rire collectif aurait causé une avalanche. Sacré Jacques ! Il oublie qu'il n'a même pas été séparé pendant 24 heures de sa luge bien-aimée. Mais ce n'est pas moi qui vais le lui rappeler ! Il est bien trop heureux en ce moment.

En se relevant, Jacques glisse sur un lacet défait de sa botte et tombe à plat ventre sur la luge. Celle-ci commence à bouger. Elle penche vers l'avant. Elle penche vers l'arrière. Elle penche à nouveau vers l'avant et cette fois, se met à dévaler la pente ! Le problème, c'est que Jacques regarde plutôt vers l'arrière et ne contrôle rien de la situation.

BANG! La luge fonce dans Sophie, qui se retrouve assise sur le dos de Jacques.

La luge continue sa descente folle vers les autres membres des Tuques!

RE-BANG! Et encore! Alors que la luge vient d'emporter Zac et Charlie comme deux quilles dans un jeu de bowling, je cours le plus vite possible vers le bas de la montagne afin de ne pas me faire renverser à mon tour. Je tourne la tête et vois la luge et mes amis dévaler la montagne en plein dans ma direction. Crapaud écrapou!

Juste avant de me retrouver sur la luge, assis sur le tas d'humains que forment mes amis en ce moment, j'arrête de courir et me tourne pour lui faire face. À la seconde où la luge me fonce dessus, je me jette vers l'avant, pose les mains au sol pour me donner un élan et j'exécute une MÉGA pirouette par-dessus la luge. Un vrai pro, comme Indiana Jones qui tentait d'éviter la roche géante!

Je cours ensuite rejoindre mes amis en bas de la montagne. Ils s'extirpent de la luge et se relèvent lentement. Ils ont l'air étourdis... sauf Jacques !

—Trop cool ! crie Jacques. On le refait ?

—N'importe quand ! réplique Sophie.

—Je veux bien, les amis, commence Zac. Mais vous oubliez une chose, encore une fois.

—Quoi ? demande Charlie en s'étirant le dos.

—La luge de Jacques... elle n'est quand même pas arrivée là par magie ! Pourquoi est-ce TOUJOURS MOI qui remarque les plus simples évidences ?

Charlie se poste devant son cousin, les mains sur les hanches et ses yeux plongés dans les siens. Charlie n'est pas du genre à tolérer l'attitude je-sais-tout de son petit cousin.

— Dis donc, cousin, tu n'aurais pas besoin de manger un petit quelque chose ? Tu sembles avoir une baisse d'énergie, ce qui doit expliquer ta mauvaise humeur. Si tu veux, je peux te faire bouffer une...

Zac lève les mains en signe de défense.

— C'est bon, excuse-moi, Charlie. Et vous aussi, les amis. Mais je DÉTESTE ne pas savoir qui s'amuse à prendre nos choses personnelles pour nous les retourner quelques heures plus tard. C'est quoi, ce jeu ?! Est-ce que le voleur s'amuse à nous mener en bateau pour nous voir courir partout en riant et en se frottant les mains ?

Crapaud écrapou, Zac a raison ! Il vient d'ailleurs de nous donner matière à réflexion. Sophie, Charlie, Jacques et moi pensons à ce que vient de dire notre ami. C'est à ce moment que

Charlie aperçoit quelque chose sur un coin de la luge de Jacques. Elle se penche et s'étonne :

— Oh ! Mais il y a quelque chose d'écrit ici : Merci pour la descente en luge. Comme c'est étrange ! Ce doit forcément être la même personne qui a pris et remis le clairon de Luc.

— Ah, le vilain ! s'exclame Jacques. Il s'en est servi et il a eu du plaisir, en plus ! J'en ai assez ! Je rentre à la grange laver ce gribouillis et ranger ma luge.

Oh non, la grange ! Pourquoi n'y ai-je pas pensé plus tôt ? Je regarde les autres Tuques :

— Vous ne trouvez pas TRÈS bizarre que le criminel ait laissé la luge comme ça, au sommet de la montagne du parc du village ? Après tout, mon clairon a bien été retrouvé dans la grange ! Si la personne voulait réellement s'assurer que Jacques retrouve facilement sa luge, pourquoi ne pas simplement la replacer dans la grange, là où elle l'a trouvée?

Sophie se frappe le front avec sa mitaine.

— Luc a raison! lance-t-elle. Comme si placer la luge ici nous obligeait à la récupérer au sommet de la montagne, à la rapporter à la grange...

— Et à permettre au voleur de s'assurer que nous serons ici et pas à la grange en ce moment! poursuit Jacques. Le temps de, genre, ENCORE s'y rendre et voler quelque chose à l'un d'entre nous.

On s'élance vers la vieille grange, notre repaire bien à nous. Je refuse que quiconque perturbe l'atmosphère amicale et sécuritaire de notre antre!

On aide Jacques à porter la luge. Courir dans la neige tout en la tenant au-dessus de nos têtes représente un véritable défi. Surtout, il nous est difficile d'atteindre notre vieille grange aussi rapidement qu'on le souhaiterait.

Je suis en tête de file. En approchant de plus en plus de la grange, je crois apercevoir quelqu'un près de la porte. Le soleil m'aveugle et j'ai de la difficulté à bien voir les détails de la silhouette, qui est à environ deux cents mètres de nous. L'individu semble tourner la tête dans notre direction. Il attrape un sac et commence à courir en sens inverse du nôtre. Si c'était un autre membre de la bande des Tuques, il aurait accouru pour nous aider. La solidarité, l'amitié et l'entraide sont des valeurs fondamentales de notre groupe ! Et si ce n'est pas un des nôtres qui rôdait dans les parages, ce ne peut être qu'un intrus !

— Dépêchez-vous ! Je viens de voir quelqu'un s'enfuir de la grange !

— Laissez-le-moi ! Laissez-le-moi ! crie Jacques.

Avec un effort sorti de je ne sais où, nous redoublons notre cadence. Tandis qu'on approche de plus en plus, un dernier coup d'œil vers l'intrus me permet de constater que la main avec laquelle il tient son sac n'est pas gantée, alors que l'autre, oui. Dans ma tête, il n'y a plus de doute. Il DOIT s'agir de la même personne qui a volé le clairon de mon père et la luge de Jacques. Mais à quoi il peut bien jouer, ce type ? Et QUI EST-IL ?

Nous atteignons enfin la grange. Les portes sont à moitié ouvertes. Nous entrons. Au premier coup d'œil, tout semble normal. Jacques se précipite dans un coin pour attraper un chiffon et il commence à nettoyer le message écrit sur sa luge par le voleur. Mais peut-on réellement dire qu'il s'agit d'un voleur? Après tout, nos choses nous ont été rendues, et plus rien ne semble avoir disparu de la grange.

Zac lance un coup d'œil à Jacques, qui frotte frénétiquement le bois de sa luge.

— Pardon, Jacques, mais ne crois-tu pas qu'il vaudrait mieux ne pas effacer tout de suite ce message? Après tout, il s'agit d'un indice.

Jacques lui lance un regard plutôt glacial.

— Ah oui? Et tu penses qu'avec ton intelligence, tu n'es pas capable de retenir ces quelques mots?

Sophie et Charlie regardent Jacques avec de gros yeux. Zac baisse les yeux. Il voulait juste bien faire. Il a d'ailleurs sans doute raison, mais Jacques semble vouloir effacer toute trace de vandalisme sur sa luge. Je le comprends aussi. J'interviens avant que les choses ne s'enveniment :

— Tout va bien, les amis. Jacques, je pense que tu as attrapé l'irritabilité de Zac plus tôt. Il disait ça pour faire avancer notre enquête et tu le sais.

Jacques cesse de frotter et se lève pour rejoindre Zac, qui avait trouvé un autre endroit où s'occuper. Il lui tend la main.

— Pardon, Zac. J'étais si furieux qu'on me vole ma luge. Simplement, voir une marque du zinzin qui a fait ça m'enrage encore plus. Tu me pardonnes ?

Zac sourit de toutes ses dents et serre bien fort la main de Jacques.

— Amis ! dit-il.

Voilà un autre bon exemple de l'atmosphère qui règne au sein de notre groupe d'amis. Les rares fois où l'un d'entre nous s'énerve contre un autre, ça ne dure que quelques secondes.

À cet instant, du coin de l'œil, je vois voler dans les airs le sac de couchage de Sophie. Je me tourne et la voit ensuite jeter son oreiller dans un coin de la grange.

— Si jamais je mets la main au collet de cet imbécile d'escroc, je vais le jeter dans une fosse remplie d'araignées mutantes meurtrières !

Je m'approche avec PRÉCAUTION de mon amie. Je ne voudrais pas qu'un objet volant me cogne la tête.

— Sophie, tu as perdu quelque chose ?

— Mes livres ! Quelqu'un m'a volé ma collection de livres de Kitty Crowther !

Sophie est en colère. Ça, ce n'est pas bon signe. Vraiment pas.

Dans ma tête se forme tout de même la petite impression que Sophie va les revoir, ses chers livres...

Chapitre 6

— Kitty qui ? Est-ce qu'on parle de chats, par hasard ? demande Charlie en s'approchant elle aussi de Sophie.

Sophie laisse échapper un long soupir. Puis elle respire trois grands coups avant de prendre la parole :

— Non, Kitty Crowther. Elle est autrice, mais c'est surtout pour son talent d'illustratrice qu'elle est mon idole. Je suis fascinée par son art depuis que je suis une toute petite fille. Ses histoires sont complètement étranges et merveilleuses. Comme moi lorsque je dessine, elle ne supporte pas les lignes droites. Elle dit que les lignes droites ne la rassurent pas du tout, et je trouve ça des plus intrigants, mais tout à fait juste à la fois.

— Ah ! C'est donc elle qui t'a amenée à toujours faire des croquis ou à illustrer de petites histoires, même pendant les cours à l'école ? demande Charlie.

— Exactement. J'ai commencé quand ma sœur était encore bébé. Je lui fabriquais de petits livres avec des histoires inventées et remplies de dessins originaux, comme dans les livres de Kitty Crowther. Et là, je ne les ai plus. Et si je ne les retrouve pas, je sens que je vais m'É-NER-VER !

Sophie se tourne vers moi. Son regard est très sérieux, déterminé même.

—Luc, la personne que tu as vue quitter la grange est partie dans quelle direction ?

Crapaud écrapou, mais c'est vrai, ça ! Pourquoi restons-nous ici à ne rien faire alors que la piste du coupable est encore toute chaude (un peu étrange comme expression en hiver, mais bon !) ?

Nous sortons. En avançant dans la neige, Zac se penche et d'un hochement de tête, il nous confirme, sa branche de bois à la main, qu'il s'agit sans doute du même individu. L'empreinte est de la même taille que toutes celles trouvées jusqu'à présent.

J'accélère la cadence afin de rejoindre Sophie, qui se trouve une centaine de mètres devant nous. Je la comprends d'être pressée de retrouver les livres qu'elle aime depuis toujours. À regarder son air VEXÉ, je vois bien qu'elle prend ce vol comme une véritable insulte. Et dire que nous marchons déjà depuis plus d'une heure! Je finis par la rejoindre et glisse ma main dans la sienne. Malgré nos mitaines épaisses, je ressens un peu de sa chaleur. Elle doit sentir la mienne aussi, car elle ralentit aussitôt le pas et j'entends sa respiration devenir moins saccadée, plus régulière. Sophie se calme. Même que je remarque qu'elle esquisse un sourire en me regardant, un sourire que je lui rends aussitôt.

Je sais très bien que les autres doivent sourire dans nos dos, mais jamais ils n'oseraient émettre un commentaire. Sophie et moi, on s'aime bien et je veux la rassurer. Ça sert aussi à ça, les bons amis, non?

— On va le faire combien de fois, le chemin vers la grande ville qui pue? demande Jacques derrière moi.

Je délaisse momentanément la main de Sophie et me tourne vers Jacques.

— Autant de fois qu'il le faudra pour retrouver les livres de Kathy Cracker...

— Kitty Crowther, me corrige aussitôt Sophie.

— C'est ce que j'ai dit : quand on aura retrouvé tes livres de Kitty Croûte... euh...

Sophie sourit en levant les yeux au ciel.

— Merci, Luc. Et merci à vous aussi, les amis. Je sais que ça peut sembler idiot, mais ces livres sont un peu comme une couverture de sécurité, pour moi. J'y tiens beaucoup, vous savez.

Charlie s'avance et prend Sophie dans ses bras.

— T'en fais pas, mon amie ! On va le trouver, le coupable, et tes livres avec !

Zac lève soudainement un bras en l'air, nous faisant signe de nous taire. Il s'avance et tend l'oreille vers l'avant.

—Vous n'entendez pas comme un bruit ? Un bruit de moteur au loin ?

Sa cousine roule les yeux au ciel.

—Zac, franchement, tout le monde ici se déplace en voiture, en camion ou en motoneige l'hiver. C'est NORMAL d'entendre le bruit d'un moteur de temps à autre, tu ne crois pas ?

—Non, c'est plus gros que ça, je pense, ajoute-t-il.

Cette fois, tout le monde se tait et écoute attentivement les bruits qui nous entourent. Tiens, je pense également entendre de plus en plus distinctement le bruit d'un moteur qui avance dans notre direction. Qu'est-ce que ça peut bien être ?

C'est Jacques qui rompt le silence :

— Oh oh... Les amis ? Je pense qu'on va avoir un petit problème...

En même temps que Jacques nous parle, le bruit devient de plus en plus fort et c'est à ce moment que je les vois : deux énormes déneigeuses s'activent dans la rue devant nous. En moins de temps qu'il ne faut pour le dire, ces gros engins font disparaître la neige de la rue, et les empreintes avec !

— Nooooooon ! hurle Sophie.

Je me doutais bien que son calme ne pouvait durer bien longtemps, surtout dans les circonstances actuelles.

Charlie semble tout aussi énervée.

— Et quoi d'autre encore ? demande-t-elle à personne en particulier. A-t-on déjà vu une journée remplie d'autant de situations malchanceuses ?

Charlie pose sa main sur l'épaule de Sophie.

—Qu'est-ce que tu veux faire maintenant, mon amie ?

Sophie nous regarde à tour de rôle. Je ne sais si c'est pour ne pas qu'on la voie pleurer, mais elle tourne son regard vers la droite, en direction du petit bois. Sans dire un seul mot, elle se met à courir dans cette direction.

—Sophie ! je crie en courant la rejoindre. Les autres ne se font pas prier pour en faire autant.

Je vois Sophie se laisser tomber sur les genoux et se pencher en avant. On la rattrape enfin.

—Regardez ! nous dit-elle.

Dans sa main, elle tient un gant. Un gant crasseux... IDENTIQUE à l'autre trouvé dans la grange. Nul doute possible ! Ce doit être le deuxième de la paire. Sophie regarde le gant d'un air triste. Je sais à quoi elle pense. Même si le voleur a échappé son autre gant dégueu en chemin, ce n'est pas ça qui va nous aider à lui mettre la main au collet. Sophie se relève.

—J'espère que sa main va geler comme un bloc de glace et tomber par terre !

Sur ces paroles, on se retourne pour reprendre ENCORE UNE FOIS le chemin de la grange. Au moins, elle, personne ne peut nous la voler !

Chapitre 7

Après environ trente minutes de marche, un autre bruit résonne à mes oreilles. Celui d'un ventre vide qui crie famine. Ce même bruit est suivi d'une phrase que j'ai entendue des milliers de fois, et toujours de la part de Jacques, comme en ce moment :

— J'AI FAIM !

— Moi aussi ! renchérit Zac.

— Mais j'y pense ! On a complètement oublié de dîner, avec toute cette agitation.

Charlie a bien raison. Dès que nous nous sommes aperçus que les livres de Sophie avaient disparu, nous n'avons plus pensé à rien d'autre qu'à les retrouver, comme pour mon clairon et la luge de Jacques. Le repas du midi nous est complètement sorti de la tête et on doit approcher du milieu de l'après-midi. Et maintenant que j'y pense, moi aussi, j'ai faim. Et pas juste un petit creux, une ÉNORME faim ! Il faut croire que les émotions et le grand air ouvrent drôlement l'appétit par chez nous.

Tandis qu'on poursuit notre route, j'ai encore ce pressentiment bizarre que quelqu'un nous observe. Je ne sais pas comment l'expliquer, mais je SAIS que quelqu'un nous espionne, tout près. Mais je ne dis rien afin de ne pas effrayer les autres, ou peut-être pour me convaincre que ce n'est que mon imagination qui me joue des tours.

Mon regard se dirige par hasard vers la rue à ma droite et je le vois! Un garçon! Dès que nos regards se croisent, il prend ses jambes à son cou et file dans la direction opposée. Sans avoir pu bien voir les traits de son visage, je peux affirmer qu'il n'est pas plus vieux que moi. Je remarque qu'il porte un vieux manteau déchiré par endroits, de vieilles chaussures de sport (en plein hiver!)... et ni gants ni mitaines. C'est lui, le voleur!

— Regardez par là!

Après avoir tous fait le saut tant je les ai surpris en criant, les membres de la bande des Tuques tournent la tête vers l'inconnu. Malheureusement pour moi, il est très rapide. Mes amis ont à peine le temps de l'apercevoir qu'il tourne au coin d'une rue et disparaît de notre vue.

— Je vais l'attraper ! dit Sophie.

Je la retiens par le bras.

— Non, il est peut-être dangereux.

Elle hésite. Sophie est courageuse, mais je sais aussi qu'elle est très intelligente et elle ne mettrait jamais sa vie en danger, même pour ses livres. De mon côté, je repense à ce que je viens de dire et je m'en veux un peu. Le regard du garçon que j'ai vu ne semblait pas du tout dangereux. Triste, plutôt.

Zac remarque alors une autre série d'empreintes près de nous, des empreintes d'une grandeur bien familière. Zac le confirme : elles ont la même taille que les autres. Une chose cloche, cependant. Ces traces pointent en direction de la grange ! Je me tourne vers mes amis :

— Depuis combien de temps sommes-nous partis de la grange ?

— Environ trois heures, me répond Zac.

Je n'ose pas le dire à voix haute afin que Sophie ne se fasse pas de faux espoirs, mais je suis de plus en plus convaincu que ma bonne amie va bientôt retrouver ses livres de Kathy Cracker... Oups, Kitty Crowther, je veux dire ! Après tout, le gars que j'ai vu ne transportait pas de sac avec lui, cette fois. Serait-il retourné à la grange ?

Toujours en marchant, Zac et Jacques imaginent tout ce qu'ils seraient capables d'avaler comme nourriture, tant ils ont faim.

— Je mangerais une poutine GÉANTE faite avec du fromage bleu, du porc effiloché et de la sauce aux prunes ! commence Zac en riant.

—Ouache! réplique Charlie en faisant semblant d'avoir la nausée.

—C'est rien, ça! J'ai tellement faim que je pourrais avaler un steak de mammouth saignant avec une tonne de pommes de terre pilées et de la confiture de rhubarbe, dit Jacques en riant bien fort lui aussi.

Un enfant promenant son chien passe près de nous et s'arrête le temps que l'animal fasse pipi dans la neige. Sophie en profite pour répliquer aux deux lurons affamés:

—Ah oui? Eh ben, si vous avez si faim que ça, pourquoi ne pas déguster ce petit tas de neige au citron?

Cette fois, tous les membres des Tuques présents s'esclaffent! Même que Charlie est pliée en deux tant elle rit!

—Si je n'arrête pas de rire, c'est MOI qui vais faire pipi! lance Charlie.

Après m'être ressaisi, je rassure mes amis :

— Ne vous en faites pas, il reste bien assez de nourriture à la grange pour faire éclater tous nos estomacs !

C'est au pas de course que nous atteignons la grange. En chemin, je ne peux m'empêcher de suivre des yeux les traces suspectes dans la neige. Elles vont dans deux sens opposés, ce qui prouve que le suspect a fait l'aller-retour de la grange à... en fait, j'ignore pour l'instant sa destination, et c'est bien ce qui m'énerve !

J'ouvre les vieilles portes et on se dirige droit vers un coin de la grange où un vieux tapis est posé sur le sol. Jacques le soulève et sourit. Nos provisions ! Il y a longtemps, on a creusé un trou dans un coin de la grange afin que les aliments que nous conservons demeurent le plus frais possible. Ainsi, dans ce trou bien froid, même les rayons chauds du soleil qui pénètrent à travers certaines planches de bois de la grange ne peuvent atteindre la nourriture.

Jacques étire son bras, saisit la grosse poche de pommes de terre vide dans laquelle on a placé ce qu'il restait des victuailles et va la déposer à l'endroit où l'on mange habituellement, c'est-à-dire en plein centre de la grange, l'espace commun où se rassemblent tous les membres des Tuques pour des festins improvisés et des fêtes endiablées.

Pendant que Zac et Charlie aident Jacques le gourmand à étaler la nourriture, je vais donner un coup de main à Sophie. Elle se promène un peu partout dans la grange, à la recherche des objets qu'elle a balancés à droite et à gauche un peu plus tôt.

Alors qu'elle replace son sac de couchage, Sophie le soulève à nouveau, comme pour le peser.

— Ça va, Sophie ?

— Mon sac de couchage est lourd. Pas mal lourd, même.

Elle glisse une main à l'intérieur et l'étire jusqu'au fond du sac.

— Non ! Ne me dis pas que...

— Quoi, Sophie ! Tu as attrapé quelque chose ?

Pour toute réponse, elle extirpe son bras du sac de couchage, un livre à la main.

— *Alors ?* dit-elle.

— Ben... alors quoi donc, Sophie ? je lui demande.

Elle tourne le livre qu'elle tient vers moi, afin que je voie la page couverture.

— *Alors ?* c'est le titre, nono ! éclate-
t-elle de rire. C'est l'un de mes livres
préférés de Kitty Crowther. Et je sais
que cet exemplaire est le mien !

Sophie retourne alors son sac de
couchage et en vide le contenu au sol.
D'autres livres en tombent. Sophie
saute de joie.

—Tous mes livres ! Mais qui a bien
pu les placer dans mon sac de couchage ? Ils n'y étaient pas quand je les
cherchais partout tout à l'heure.

Je l'aide à remettre ses choses à leur
place et on va retrouver les autres.
Charlie, Zac et Jacques sont debout en
train de regarder tous les aliments étalés
devant eux. Ils doivent se demander
quels mets préparer avec les ingrédients
qu'il nous reste.

Sophie tient toujours sa précieuse
pile de livres dans ses bras.

— Oh, Sophie ! dit Charlie. Je suis tellement contente que tu aies retrouvé tes livres.

— Tout de même, poursuit Zac, vous ne trouvez pas que ça commence à faire, tous ces mystères ? Après tout...

Il arrête de parler et fixe la pile de livres que tient Sophie.

— Euh... Zac ? Pourquoi tu me regardes comme ça ?

Il s'avance vers elle, ou plutôt vers ses livres et s'empare d'un bout de papier qui dépasse d'un des titres.

— C'est quoi ? demande Jacques. Un signet ?

— Impossible, je n'en utilise jamais.

Zac regarde le bout de papier et lève les yeux vers Sophie.

— Je pense que c'est un message pour toi, lui dit-il.

Il tourne alors le bout de papier vers nous: Merci pour les belles histoires.

—Je ne comprends plus rien, dit Sophie. Qui voudrait emprunter un clairon, ensuite une luge et enfin des livres illustrés? Et pour les rendre quelques heures plus tard?!

—En tout cas, il est très bizarre, ce voleur, ajoute Jacques.

—Et poli, renchérit Zac.

Pour ma part, je commence à me demander de plus en plus si on a affaire à un vrai voleur. Quand je repense à ses vêtements sales et troués, je me dis que s'il était un vrai voleur, il aurait sans doute commencé par une paire de bottes chaudes.

Sophie ne semble pas partager ma réflexion:

—Tout ce que je sais pour le moment, c'est que j'ai retrouvé mes chers bouquins, et c'est tout ce qui m'importe !

Sophie s'assoit par terre, croise les jambes, et pose la pile de livres sur ses genoux. Je ne pense pas qu'elle voudra s'en éloigner de sitôt !

—Alors ? demande Sophie. Qu'est-ce qu'on mange ?

Et hop, les Tuques se mettent à l'ouvrage comme de vrais petits cuistots !

Chapitre 8

Quelques instants plus tard, nous sommes assis en rond. Jacques remplit cinq bols d'une délicieuse salade de légumineuses que j'ai préparée rapidement avec lui.

—Attention, les amis, dit Jacques, c'est bon, mais ça fait péter !

Après que chacun a mangé deux portions de salade, Zac se relève et achève la préparation du dessert : une salade de fruits mélangée à tout plein de guimauves multicolores. Dès qu'il reçoit sa portion, Jacques s'empresse d'y ajouter... du ketchup ? !

Jacques lève les yeux et observe nos regards épouvantés devant cette préparation des plus particulières.

— Ben quoi ? demande-t-il. Le ketchup est fait avec des tomates et les tomates sont des fruits, à ce que je sache !

Il plonge sa cuillère dans sa portion et engouffre une pleine bouchée de salade de fruits au ketchup. Et il mange le tout jusqu'à ce qu'il ne reste même plus un seul pépin de raisin dans son bol. Sacré Jacques !

Charlie et Sophie en profitent pour préparer du chocolat chaud bien fumant. Tout en versant la poudre de cacao dans l'eau chaude, Charlie éternue et un nuage de poudre sucrée est projeté sur le visage de Sophie.

— Oups ! Pardon, Sophie.

C'est plutôt Jacques, Zac et moi qui répondons à Charlie :

— À TES SOUHAITS !

C'est l'hilarité générale dans la grange ! Sophie aussi ne peut s'arrêter de rire. Je pense que depuis qu'elle a remis la main sur ses livres, de petites choses comme avoir le visage complètement chocolaté sont les DERNIERS de ses soucis pour le moment. Je lui tends une serviette propre. Elle me remercie et elle s'essuie le visage.

Nous dégustons nos tasses de chocolat chaud, bien assis sur des bottes de foin. Je commence à réfléchir à voix haute :

— Je me demande vraiment quel lien il peut bien exister entre le clairon de mon père, la super luge de Jacques et la collection de livres de Sophie.

—Je n'en vois aucun, approuve Zac. Et pourquoi avoir laissé des messages de remerciements à chaque fois ?

—C'est vrai, ça ! dit Sophie. « Merci pour la musique », « Merci pour la descente en luge » et « Merci pour les belles histoires ». Quel est le rapport ?

Jacques semble avoir une idée... Je me demande bien laquelle !

—Peut-être que c'est un jeune qui rêve de battre un record Guinness ! lance-t-il.

Je me doutais bien que sa réflexion serait farfelue. Il poursuit :

—Mais oui, c'est évident même ! Ce doit être un individu qui veut réussir une descente en luge hyper rapide tout en jouant du clairon et en tournant les pages d'un livre jusqu'à son arrivée en bas de la piste. Tout un talent à développer, en tout cas !

— Ouin..., répond Zac, pas tellement convaincu.

— De toute manière, dit Charlie, c'est forcément quelqu'un qui nous observe puisqu'il SAIT que Luc a un clairon, que Jacques possède une luge super performante et que Sophie a des livres de Kit-Kat Cro...

— Kitty Crowther, reprend Sophie.

— Oui, bon. Surtout, n'oublions pas qu'on a affaire à un petit voleur. Qui sait qui sera sa prochaine victime ?

Je suis bien d'accord avec Charlie. Qui nous dit que le responsable de ces crimes ne reviendra pas prendre quelque chose d'autre appartenant à un membre de la bande des Tuques ? Crapaud écrapou! On ne va pas passer tout notre temps libre à suivre des pistes dans la neige. On a mieux à faire, comme S'AMUSER dans la neige plutôt !

— *PA... PAS UN V... VO... VOLEUUUR...*

Hein?! C'est quoi, ce bruit? Qui a parlé?

—Vous avez entendu? demande Sophie.

—Jacques, veux-tu bien descendre de sur moi?

Jacques a dû avoir très peur, car il m'a sauté dans les bras et ne semble pas prêt à reposer ses pieds au sol. Je pose Jacques sur le plancher de la grange, mais je vois bien ses genoux qui claquent!

—Mais voyons! lance Zac. Ce ne devait être que le vent, comme d'habitude, qui siffle de manière étrange entre les planches de bois de notre VIEILLE grange.

Son visage crispé m'indique qu'il ne semble pourtant pas convaincu de ce qu'il avance. Je pense qu'il se force à croire une explication logique pour ne pas se laisser envahir par la peur.

—Je pense que ça venait de là-haut, dit Charlie en pointant son index vers le plafond.

Au fond de la grange, une échelle mène vers une plateforme en bois installée à un mètre du plafond. On y range toutes sortes de choses, comme d'épaisses couvertures, des boîtes remplies de décorations et de costumes pour nos soirées de fête et d'autres objets qui ne servent pas tous les jours. Il est donc impossible que le bruit provienne de là-haut...

—Hé, le voleur! crie Sophie en direction du plafond. Si t'es caché en haut, tu as intérêt à sortir de là MAINTENANT!

On écoute. Rien, silence complet.

—Vous voyez bien, dit Zac. Je vous l'avais dit que ce n'était que...

—*PA...PAS UN V...VO...VOLEUUUR...*

Cette fois, j'ai bien entendu une voix. Je n'ai pas bien saisi la phrase, car la voix est toute petite, faible comme un chuchotement.

Jacques commence à avancer vers la porte de la grange.

—Bon ben, je pense que je vais rentrer chez moi. J'ai comme une petite indigestion.

—Jacques, attends-moi! crie Zac en courant le rejoindre.

Alors qu'ils sont à quelques pas de la sortie, une énorme bourrasque ouvre grand la porte. Zac et Jacques s'arrêtent net. Juste à l'extérieur de la grange, dans la lumière aveuglante du soleil couchant, on voit une silhouette piquer vers la gauche dès qu'elle nous voit.

À peine quelques secondes plus tard, une autre rafale referme la porte dans un claquement sec et bruyant!

BANG!

Zac et Jacques changent aussitôt d'idée et viennent me rejoindre, avec Charlie et Sophie.

—Luc? me demande Charlie. Est-ce que c'était la même personne que tu as vue cet après-midi quand on cherchait une piste pour retrouver les livres de Sophie?

—Je pense bien, mais l'éclat du soleil sur la neige m'a un peu obstrué la vue.

—Et s'il savait qu'on était ici, pourquoi se risquer à rôder si près de la grange? demande à son tour Sophie.

—À moins qu'il cherche à mettre la main sur autre chose de bien précis dans la grange, suggère Zac.

BOUM!

—Aaaaaahhhh!

Cette fois, nous avons tous crié en même temps. Un bruit épouvantable nous parvient de la plateforme près du plafond de la grange.

— C'était quoi, ça ? demande Charlie, très inquiète.

— Je n'en sais rien, dit Sophie. Mais cette fois, j'ai bien l'intention de monter voir par moi-même ce qui se passe. ALORS, S'IL Y A QUELQU'UN LÀ... EUH, OU QUELQUE CHOSE... EH BEN, T'ES MIEUX DE DISPARAÎTRE AVANT QUE JE NE T'ATTRAPE !

Sophie se tourne vers nous :

— Qui vient avec moi ? demande-t-elle.

Charlie pose un genou au sol pour boucler le lacet défait d'une de ses bottes, puis elle en profite pour relacer l'autre botte. Jacques commence à siffler en promenant la tête en l'air dans la grange, et Zac imite Jacques.

Sophie pose alors ses yeux sur moi et me lance un regard interrogateur en levant un sourcil.

— Et toi ? As-tu une partition de clairon à revoir ou quelque chose d'autre d'urgent à faire à ce moment précis ?

Son ton me fait comprendre que je n'ai pas vraiment le choix. Crapaud écrapou ! De toute manière, jamais je ne laisserais Sophie se risquer seule dans une situation potentiellement dangereuse. Mais pourquoi faut-il TOUJOURS qu'elle se lance dans ce genre de scénarios menaçants ?

— Mais oui, bien entendu, Sophie. J'avais même eu l'intention de monter l'échelle en premier, si tu veux savoir.

Elle me toise.

— Ah oui ? Eh ben, vas-y, mon brave, je te suis.

Bravo, champion! Bon, je m'avance vers l'échelle collée au mur de la grange. Sophie est juste derrière moi. Zac, Jacques et Charlie se tiennent tous les trois par la main à quelques mètres de nous, les yeux rivés sur la plateforme en bois.

Dès que je pose une botte sur le premier barreau, j'entends bouger en haut! Je repose mon pied par terre.

—Euh, Sophie? Tu es certaine que c'est une bonne idée?

—Tu veux que j'y aille la première, c'est ça? me demande-t-elle.

—Non, non, pas du tout. Je monte.

Je prends une MÉGA grande inspiration, j'expire lentement et je commence à gravir les échelons, un par un. Sophie me suit de près. Lorsque ma tête arrive à la hauteur de la plateforme, je balaie l'endroit du regard.

Là ! Je distingue une forme anormale sous une vieille couverture, tout au fond, près du mur.

— Luc ! chuchote Sophie. Est-ce que tu vois quelque chose ?

— Je pense que oui ! On dirait que quelque chose bouge un peu sous une couverture. Mais qu'est-ce que c'est ? Euh... Sophie ?

Crapaud écrapou, elle est redescendue ! Tiens, tiens, tu n'es pas toujours si courageuse que ça, hein, Sophie ? Malgré tout, je me rends compte que je suis seul en équilibre sur une échelle à quelques pieds de distance de... justement, je ne sais pas ce qui peut bien se cacher sous cette couverture ! Et c'est bien ce qui m'effraie.

Je prends mon courage à deux mains et me hisse à genoux sur la plateforme.

BANG !

Un autre énorme coup de vent fait claquer la porte de la grange! Mon cœur fait trois tours et je jette un œil par-dessus la plateforme pour voir mes amis, qui me lancent des regards inquiets... comme si c'était la dernière fois qu'ils me voyaient vivant! On repassera pour les signes d'encouragement!

Je m'avance tranquillement vers le fond du mur. Je le vois très bien maintenant: quelque chose respire ou bouge sous la couverture. J'étire mon bras, j'agrippe un coin de la vieille couverture en laine et je tire dessus. Non... ce n'est pas possible!

Chapitre 9

Une enfant! Je n'en crois pas mes yeux! Mais qu'est-ce qu'une fillette d'environ six ans fait cachée dans le repaire de la bande des Tuques? Je ne l'ai jamais vue auparavant. Elle ne porte rien sur la tête et ses longs cheveux noirs sont emmêlés, comme si on ne les lui avait pas peignés depuis plusieurs jours. Elle porte un vieux manteau beaucoup trop grand pour elle, mais au moins, ce vêtement cache une partie de ses jambes, qui aboutissent à des pieds chaussés d'une vieille paire de souliers d'été en toile. Crapaud écrapou, ses parents devraient l'habiller plus chaudement en hiver, surtout ici, au village !

Je regarde la jeune fille dans les yeux.

— N'aie pas peur, je lui dis. Je m'appelle Luc. Et toi ?

— Pas volé, chuchote-t-elle.

— OK, je pense qu'on devrait descendre et aller trouver tes parents. Qu'en dis-tu ?

Elle ne bouge pas d'un poil. Je ne vais quand même pas la balancer par-dessus mon épaule et la descendre de force ! Je tente une autre question afin de détendre l'atmosphère et de la mettre en confiance :

— Est-ce que ça fait longtemps que tu es ici ?

— Pas volé rien, répète-t-elle.

— D'accord, tu n'as rien volé. Mais est-ce que tu voudrais redescendre l'échelle avec moi pour que je te présente ma meilleure amie Sophie ? Elle est SUPER gentille, tu vas voir.

Justement, c'est la voix de Sophie qui me répond d'en bas :

— C'est très gentil de ta part, comme compliment, Luc, mais je pense que tu devrais descendre MAINTENANT.

Je baisse la tête et j'aperçois une silhouette dans l'encadrement de la porte de la grange. Est-ce que c'est lui qui l'a ouverte il y a quelques instants, en la faisant claquer contre le mur ? Il s'avance vers les autres, qui se tiennent collés serré à quelques pas de l'échelle. Finalement, il lève la tête vers moi. Je me force à prendre un ton calme et assuré :

—Salut! Tu cherches quelque chose en particulier?

Enfin, le garçon parle :

—Je suis venu chercher ma petite sœur.

Sa sœur?!

—Boris! s'écrie la petite fille en sortant de sous la couverture.

Elle s'empresse de passer une jambe par-dessus moi, ensuite l'autre, et elle descend l'échelle à toute vitesse pour se jeter dans les bras de son frère.

—Je suis là, Zora.

—Zora? demande Sophie en haussant un sourcil, l'air surpris.

—C'est mon nom, répond la fillette.

—Et toi, c'est Boris? je demande au garçon en descendant l'échelle à mon tour.

—Oui, répond-il.

—Et c'est toi qui voles toutes nos affaires depuis hier? demande Jacques en s'avançant vers lui.

On dirait que la colère vient de remplacer sa peur.

—Pas volé! crie Zora.

—C'est vrai, ajoute Boris. Je n'ai rien volé.

—Ne dis pas n'importe quoi! dit Charlie. Tu nous espionnes depuis hier. On a trouvé tes gants tout sales.

—Ouin, ajoute Zac. Et je parie que si je mesure tes bottes, elles auront la même taille que les empreintes que l'on a trouvées PARTOUT où l'un des Tuques s'est fait voler quelque chose de précieux!

—Les Tuques? demande Boris. Je ne comprends pas.

—Ne change pas de sujet! lance à son tour Sophie. On le sait, que c'est toi le coupable. Tu as volé, avoue-le!

Zora regarde le visage rempli de colère de Sophie et commence à pleurer en enfouissant sa tête dans un pli du manteau de son grand frère.

Tous les Tuques changent d'expression aussitôt. La honte. S'emporter comme ça devant une enfant qui est de toute évidence déjà bien assez apeurée. Charlie s'avance vers la petite fille et se penche pour se placer à hauteur d'yeux.

— Pardon, Zora. Tu n'as pas à avoir peur de nous.

— Voyez-vous, explique Boris, nos parents sont morts il y a quelques mois et nous n'avons pas d'autre famille. On habite maintenant dans un foyer de groupe, et ce n'est pas toujours rigolo là-bas. Les responsables ne s'occupent pas de nous et ils gardent pour eux toutes les sommes d'argent qu'ils reçoivent pour répondre à nos besoins.

— En plus, la madame crie tout le temps ! ajoute Zora.

— C'est vrai que ça ne fait que crier dans cet endroit. C'est pour ça que ma sœur et moi essayons de rester le plus loin possible du foyer chaque fois qu'on peut.

Sophie va rejoindre Charlie, toujours installée devant la petite Zora.

— Tu sais, Zora, c'est un très joli prénom.

— Merci, lui répond la fillette en souriant timidement.

— C'est justement le prénom d'une petite fille bien spéciale dans une de mes histoires préférées, ajoute Sophie.

— Une histoire de Kitty Crowther ? lui demande Zora.

Sophie se tourne vers moi et les autres.

— Voilà ! C'est bien Kitty Crowther, bravo, Zora. Et vous autres, vous voyez bien que ce n'est pas si compliqué à prononcer ! Viens, Zora, je vais te lire l'histoire de la petite fille à l'épée.

Sophie prend Zora par la main et l'invite à s'asseoir à ses côtés sur son sac de couchage. Elle prend un livre de sa pile et l'ouvre sur ses genoux. Juste avant de commencer la lecture, elle demande à Zora :

— Au fait, comment connais-tu Kitty ?

— Tes livres, répond-elle. Boris me les a montrés.

Le visage de Sophie se crispe un peu et elle lance un regard à Boris, lui rappelant qu'elle n'a pas oublié la disparition momentanée de sa collection.

Charlie s'avance vers la fillette.

— Zora, que dirais-tu d'un bon chocolat chaud pendant l'histoire ?

Son sourire étincelant vaut le plus grand OUI du monde. Sophie se calme un peu et commence à lire à voix haute.

Je profite de ce moment pour m'approcher de Boris et lui chuchoter à l'oreille :

— Et si on sortait à l'extérieur quelques minutes, tous les deux ? Je pense que tu as des choses à m'expliquer.

Boris hoche la tête. Je le devance afin de lui faire comprendre que je suis maître de la situation. Quand on passe derrière elle pour atteindre la porte de la grange, Sophie interrompt sa lecture. Elle fouille près de ses livres avec sa main, prend quelque chose qu'elle lance à Boris :

— Tiens, je pense que tu les as perdus. Tu sais, quand tu t'enfuyais avec nos biens.

Ses gants. Boris ne réussit même pas à dire merci. Il a honte, on dirait. Il les fourre dans les poches de son manteau et se dirige vers la porte de la grange.

Une fois que nous sommes dehors, je fais face à ce Boris que je ne connais pas. Est-ce que c'est un menteur ? Je veux en avoir le cœur net.

— Alors, tu prétends que tu n'as rien volé. Prendre des choses qui ne t'appartiennent pas, tu appelles ça comment ? Je suis bien content d'avoir retrouvé le clairon de mon père, mais ne me dis pas que tu es innocent ! Tu m'as espionné dans la forêt, et quand la voie a été libre pour commettre ton crime, tu t'es emparé de mon clairon, comme pour la luge de Jacques et les livres de Sophie. Et dans la bande des Tuques, on est allergiques aux MENTEURS et aux VOLEURS !

Boris s'avance vers moi. Son air gêné se change en regard sombre et menaçant. Est-ce que je suis en danger ? Oups...

Chapitre 10

—Je te JURE que je n'ai rien volé ! Mes parents nous ont bien éduqués, ma sœur et moi, si tu veux savoir !

Le soleil continue de baisser tranquillement, la noirceur prenant de plus en plus de place dans le ciel et les environs.

Le visage de Boris est tout rouge. On dirait qu'il va pleurer, mais il se retient.

—Je n'ai fait qu'EMPRUNTER ces choses.

—Crapaud écrapou ! Mais pourquoi, Boris ?

— Pour ma sœur...

Je ne comprends toujours pas. Pourquoi est-ce que sa sœur aurait voulu d'un vieux clairon ? Boris semble deviner mon incompréhension puisqu'il poursuit ses explications :

— Ma sœur et moi, on s'ennuie beaucoup de nos parents depuis qu'ils ne sont plus là. Et aussi de nos amis que l'on a perdus en déménageant dans ce misérable foyer de groupe. Un jour, en marchant loin du foyer, je suis arrivé au village et je vous ai vus... Ça m'a rappelé combien mes amis me manquent. Puis j'ai vu ton clairon et je suis revenu le soir. J'ai pris ton clairon pour en jouer quelques notes à Zora. Mon père était trompettiste dans un orchestre. Et notre mère adorait faire des courses de luge avec ma sœur et moi.

— Donc tu as pris la luge de Jacques aussi...

— Je l'ai empruntée, comme je te dis. Les livres de ton amie aussi. Au foyer, il n'y a pas de livres, et nos parents avaient une bibliothèque remplie de livres de toutes sortes que ma sœur et moi adorions regarder tous les soirs avant d'aller au lit. Vois-tu, j'essayais simplement de lui faire revivre quelques petits plaisirs de notre vie d'avant, avec nos parents.

Boris baisse la tête et cette fois, je vois une larme couler le long de sa joue.

Vraiment, je ne sais trop quoi dire. Comment lui en vouloir ? Ce doit être terrible de perdre ses deux parents d'un coup et de se retrouver à vivre dans un endroit comme celui que Boris me décrit. Soudain, je pense à ma mère, à ma maison, à ma chambre remplie de jouets et de souvenirs. Je me sens très privilégié d'être aussi chanceux.

—Boris, je suis désolé...

—Moi aussi. Si tu savais comme je me sentais mal d'agir ainsi. Mais tu dois me croire. Je n'ai fait qu'emprunter ces choses, vos choses. Je ne prendrais jamais quelque chose que je ne peux remettre. Par exemple, je mourais d'envie de piger dans votre cachette de provisions pour nourrir ma sœur, mais je savais très bien que je ne pourrais JAMAIS vous acheter des aliments en remplacement, donc je n'y ai pas touché. Même pas une miette.

Mon visage s'éclaircit soudain.

—Alors là, si vous avez faim, vous êtes à la bonne place! Les Tuques ont TOUJOURS de quoi pour improviser une super collation!

—Euh... Luc?

—Oui?

—C'est quoi, les Tuques?

—Eh ben, c'est nous! Au village, mes amis et moi sommes connus comme la bande des Tuques. J'ai d'ailleurs bien hâte de te les présenter.

Boris me regarde, perplexe.

—Tu veux dire que... ma sœur et moi, nous pourrons revenir?

Je lui donne une tape amicale dans le dos.

—Mais bien entendu! La première chose que tu dois savoir ici, c'est que la grange est un symbole d'amitié, de sécurité, et surtout, elle est à tout le monde!

Je lui lance un clin d'œil en ajoutant:

—Comme ça, tu n'auras plus à emprunter les choses. Dans la bande des Tuques, on partage TOUT!

J'invite Boris à me suivre à l'intérieur de la grange.

En entrant, je vois la petite Zora, une tasse de chocolat chaud entre les mains, qui écoute attentivement l'histoire que lui lit Sophie.

Je me dirige vers Zac et Jacques. Je leur chuchote quelques mots afin de leur raconter la vraie histoire de nos objets empruntés, et non pas volés. Après mon explication, Jacques s'exclame aussitôt:

— Boris! Zora! Vous n'aurez plus faim dans quelques minutes, promis! Je vais vous concocter une super collation de mon invention!

Zac me regarde, inquiet. Nous savons tous que les goûts culinaires de Jacques ne sont pas nécessairement les mêmes que ceux des autres… mais bon! Jacques n'a jamais empoisonné un seul membre des Tuques avec ses recettes.

—Je veux aider ! s'exclame Zora en se levant pour aller rejoindre Jacques.

—Je pense que je devrais vous aider aussi, ajoute Charlie, incertaine de l'idée de Jacques, notre apprenti chef.

Sophie s'avance vers Boris et moi. Boris baisse aussitôt les yeux sur ses pieds. Mais Sophie lui pose une main sur l'épaule.

—Tu sais, ta petite sœur m'a expliqué pourquoi tu as « emprunté » nos choses. Je comprends maintenant et je ne t'en veux plus.

Boris la regarde enfin et sourit. Sophie ajoute :

—Aussi, l'autre soir dans la forêt, je pensais que tu étais un zombie.

—Faut dire qu'avec mon allure et mes cheveux en broussaille, je dois effectivement être effrayant à voir !

—Justement! s'exclame malicieuse-
ment Zac. J'ai quelque chose pour ta
sœur et toi.

On lève les yeux pour le voir sur la
plateforme en bois.

—Qu'est-ce que tu fais là-haut? lui
demande Sophie.

—Regardez ce que j'ai trouvé pour
nos nouveaux amis! répond-il en me
lançant deux tuques.

L'une est orange avec un gros pompon
bleu sur le dessus, et l'autre est rose avec
des nuages blancs imprimés dessus. Zac
a dû les dénicher dans un des coffres qui
contiennent des costumes et d'autres
vêtements. Bien pensé, Zac! Je suis très
fier de mon ami en ce moment.

Je remets la tuque orange à Boris et
la rose à sa petite sœur. Ils se sourient.

—Salut, tout le monde! Oh, mais y a
des nouveaux!

On tourne nos têtes et on voit Daniel Blanchette entrer dans la grange. Si je ne me sépare jamais de mon clairon (sauf cette fois-là, et plus jamais ça n'arrivera!), Daniel, lui, ne se défait jamais de son appareil photo. Il le traîne partout où il va et je pense qu'il a pris plus de mille photos des membres de la bande des Tuques! Surtout, notre ami est toujours à l'affût des rumeurs ou des histoires qui circulent au village, et il veut toujours être là où une photo intéressante peut être prise sur le vif.

—Salut, Daniel, lui répond Zac. Tu es venu prendre des photos de la grange ou quoi?

—Euh... pourquoi est-ce que je voudrais prendre des photos de la grange? J'en ai bien en masse comme ça! Je suis plutôt venu voir ce qui se passait.

On dit au village que les Tuques se font voler leurs choses les uns après les autres. Je voulais en savoir plus et peut-être réussir à pister le voleur pour le photographier en flagrant délit !

Je m'avance vers notre ami apprenti photographe. Je fais signe à Boris d'approcher.

— Daniel, je te présente Boris. Lui et sa sœur Zora sont de nouveaux amis des Tuques.

Daniel tend la main à Boris. Boris la lui serre vigoureusement.

— Salut ! Moi, c'est Daniel Blanchette de Victoriaville. Est-ce que toi aussi, tu t'es fait voler quelque chose ?

Boris lâche la main de Daniel Blanchette et regarde le sol. J'interviens à sa place :

— Sais-tu quoi, Daniel ? Je pense que tu pourras annoncer au village que les crimes sont finis, que tout a été remis à sa place, et surtout que c'était un ÉNORME malentendu.

— Ah oui ? me demande Daniel en levant un sourcil.

Il n'a pas l'air convaincu par ce dénouement aussi facile à propos des vols... euh, des emprunts, je veux dire. Mais il lui suffit de regarder son appareil photo une seconde pour avoir une autre idée. Il change de sujet :

— Dans ce cas, puisque je suis ici, pourquoi ne pas immortaliser le premier soir des nouveaux membres des Tuques avec une photo de groupe ? Allez, tous les Tuques, rassemblement !

C'est ce que nous faisons. Zac descend nous retrouver et on se tasse les uns près des autres en plaçant nos bras autour des épaules de ceux et celles qui se trouvent à notre droite et à notre gauche. Boris est à côté de moi. Il me sourit et crie :

—Vive la bande des Tuques !

Nous répétons en chœur :

—Vive la bande des Tuques !

CLIC !

Daniel se dirige vers la porte et se retourne une dernière fois avant de partir :

—Je vais développer la photo dès ce soir et vous en remettrai à chacun une copie dès demain ! Bye, les Tuques !

Aussitôt que la porte de la grange se referme, Jacques monte sur une botte de foin. J'imagine que la collation devra se faire attendre quelques minutes encore. Il s'adresse à Boris :

—Hé, l'emprunteur ! As-tu déjà pensé à fracasser un record Guinness en faisant une descente de luge spectaculaire tout en jouant du clairon et en lisant un livre ?

Boris le regarde, étonné.

—Non, Jacques, pourquoi?

Jacques descend de la botte de foin, s'avance vers notre nouvel ami, place son bras autour de ses épaules et le tourne vers nous.

—Les Tuques, annonce-t-il, je sais ce qu'on va faire la fin de semaine prochaine!

Il ne changera jamais, Jacques!

Les autres membres des Tuques éclatent de rire, mais j'ai comme la petite impression que Jacques a bien l'intention de tenter cet exploit. Boris ne sait pas dans quoi il vient de s'embarquer. Je m'avance vers lui pour lui prendre la main et la serrer bien fort.

—Boris, on invite tout le temps les nouveaux dans notre grange pour leur parler de toutes les choses géniales à faire au village. Je sais que ce ne doit pas souvent être drôle dans ton foyer de groupe... alors, pour toi, l'invitation est toujours valable! Tu viens nous voir quand tu veux!

— Et Zora aussi! ajoute Sophie.

Tous les autres crient de joie, et Boris sourit enfin. Il regarde autour de lui comme s'il comprenait soudain que la grange pourra maintenant aussi être SON repaire quand il en aura besoin. Après tout, la grange, elle est à tout le monde!